École Jean-Leman
4 avenue Champagne
Candiac, Qué.
J5R 4W3

Curieux de savoir
AVEC LIENS INTERNET

Table des matières

À quel groupe d'insectes appartiennent les papillons?

Les papillons appartiennent à l'ordre des **lépidoptères**. Ce groupe d'insectes compte environ 150 000 espèces, dont les formes et les couleurs sont très variées. @

> **lépidoptères :**
> les lépidoptères ont des ailes en partie ou totalement recouvertes de minuscules écailles et la bouche en forme de trompe enroulée.

- Quand les premiers papillons sont-ils apparus sur Terre?

- Combien de temps les papillons peuvent-ils vivre? @

- Que font les papillons pendant l'hiver? @

- Peut-on élever des papillons à la maison? @

Les papillons sont des insectes étonnants. Leur beauté et leur vol gracieux ont inspiré de nombreux contes merveilleux.

L'histoire que tu vas lire dans les pages suivantes raconte la création des premiers papillons. Elle se déroule au pied d'un arbre fabuleux.

L'arbre aux chenogres

Conte de Nancy Montour
Illustré par Gabrielle Grimard

Très loin d'ici, au cœur d'une forêt inexplorée,
un ruisseau tombe en **cascade** au pied
d'un arbre fabuleux. C'est l'arbre aux fées.
Un endroit vraiment spécial où il y aura bientôt
un grand bal.

cascade :
une cascade est une petite chute d'eau.

Les petites fées se préparent avec joie
pour cette fête. De magnifiques guirlandes
de fleurs ont été accrochées aux branches
de l'arbre. Pourtant, en les regardant,
la fée Lépidia soupire. C'est qu'elle n'a
toujours pas découvert quel est son grand talent.

— Si ça continue comme ça, je serai la seule
à n'avoir rien à offrir aux autres.
Elles m'accuseront d'être paresseuse.
La reine m'enlèvera sûrement mes pouvoirs.
Ce sera horrible.

Lépidia agite sa baguette.
Des graines minuscules
apparaissent aussitôt
dans le creux de sa main.

Elle les enfonce délicatement
dans le sol en espérant voir enfin
apparaître une belle tige verte.

Alors que la fée Margot fait pousser
de jolies marguerites, et Rosie,
des roses magnifiques, Lépidia se demande
pourquoi ses graines ne germent jamais.

Un oiseau s'approche en sautillant.
— Lépidia, as-tu déjà songé que ce ne sont
peut-être pas des graines de fleurs?
— Non, avoue la petite fée, en ouvrant
de grands yeux étonnés.

L'oiseau ajoute :
— Ferme les yeux, Lépidia. Que vois-tu?
— Rien du tout! J'ai les yeux fermés!
— Regarde dans ton imagination…
Pense à ce que tu aimerais créer.

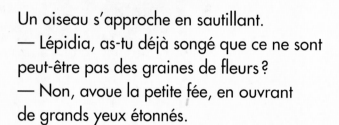

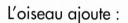
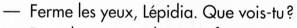

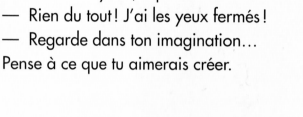

La jolie Lépidia s'envole aussitôt
vers le grand étang. Elle se pose gracieusement
sur un large nénuphar. Elle agite sa baguette
et dépose toutes les graines dans l'eau.
— Je vais créer de magnifiques fleurs d'étoile.
Ce seront des fleurs aquatiques lumineuses.
Je pourrai ainsi voltiger à la surface de l'eau
toute la nuit !

nénuphar :
le nénuphar est une plante qui vit dans l'eau.

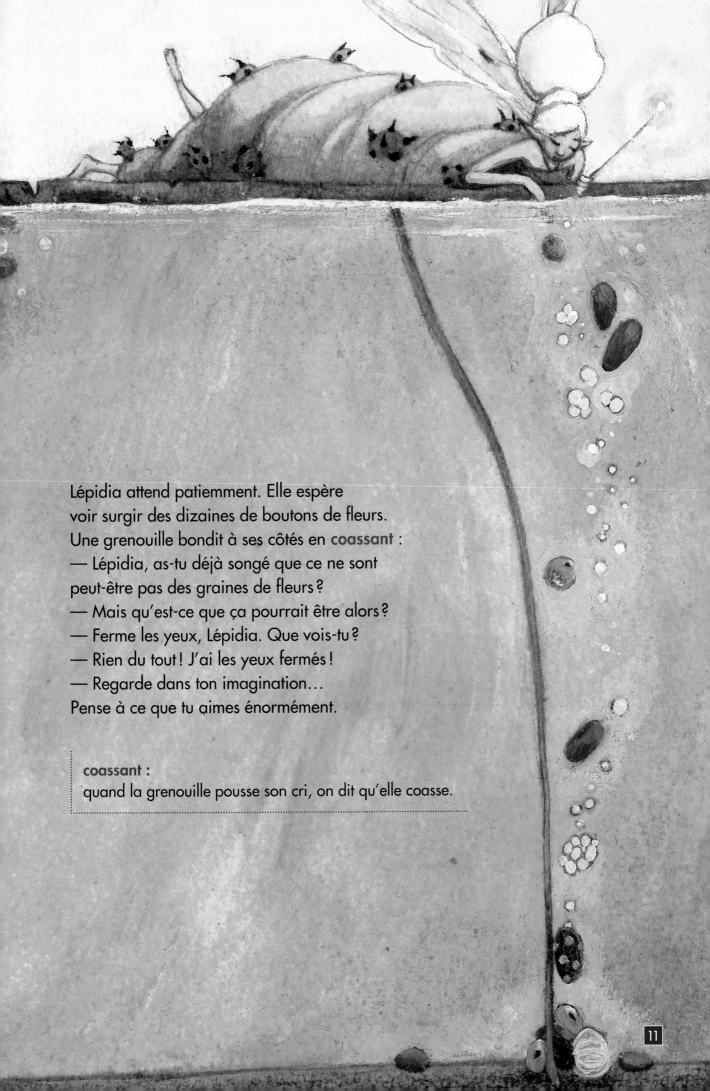

Lépidia attend patiemment. Elle espère
voir surgir des dizaines de boutons de fleurs.
Une grenouille bondit à ses côtés en **coassant** :
— Lépidia, as-tu déjà songé que ce ne sont
peut-être pas des graines de fleurs?
— Mais qu'est-ce que ça pourrait être alors?
— Ferme les yeux, Lépidia. Que vois-tu?
— Rien du tout! J'ai les yeux fermés!
— Regarde dans ton imagination…
Pense à ce que tu aimes énormément.

coassant :
quand la grenouille pousse son cri, on dit qu'elle coasse.

— L'arbre aux fées !
Lépidia adore virevolter autour de l'arbre
aux fées. Elle s'empresse d'y retourner.
Une fois là-bas, elle agite sa baguette.
Les petites graines apparaissent à nouveau
au creux de sa main. Lépidia les dépose
délicatement sur les feuilles de l'arbre.

Une après l'autre, les graines éclatent
et d'adorables bestioles en sortent.
Lépidia est ravie. Elle imagine déjà
l'étonnement des autres fées
quand elles découvriront enfin
son grand talent !

— Quelles drôles de créatures !
Elles sont affamées !
Les petites bêtes grignotent **avidement**
les feuilles de l'arbre. Lépidia n'en revient pas
de les voir grossir aussi rapidement.
— Ce sont des chenogres ! s'exclame-t-elle,
heureuse de leur avoir trouvé un nom.

avidement :
on mange avidement quand on a très faim.

14

— Je ne peux pas vous laisser dévorer
toutes les feuilles de cet arbre ! Ce sera bientôt
le grand bal ! Les fées seront furieuses
contre moi.
Lépidia emmaillote tendrement les chenogres
dans ses longs cheveux de soie.

Quelques jours plus tard,
toutes les fées sont rassemblées
au pied du grand arbre.
Lépidia est nerveuse.

Ce sera bientôt à son tour de s'avancer
pour partager son grand talent.
Les chenogres sont très agitées.
Elles se tortillent pour échapper
à leur cocon de soie.

Tout à coup, des créatures magnifiques
s'échappent des longs cheveux de Lépidia.
Émerveillée, elle découvre que ses chenogres
se sont transformées.

cocon :
le cocon est une enveloppe qui protège certains insectes
quand ils se préparent à devenir adultes.

Lépidia s'avance au centre du cercle des fées.
— Ce sont des papillons ! annonce-t-elle fièrement
en admirant leur envolée.
Les fées sont fascinées par leurs ailes
toutes colorées.

Alors, la ravissante reine des fées se lève
et proclame devant toute l'assemblée :
— Quel talent merveilleux ! Merci, chère Lépidia,
de répandre la beauté avec autant de légèreté !

C'est ainsi que, loin d'ici, au pied d'un arbre fabuleux,
un grand bal a commencé.

Le monarque est un papillon magnifique. Observe les étapes qui mènent à sa naissance.

10 juin

La femelle du monarque a pondu, un à un, des dizaines d'œufs pas plus gros qu'une tête d'épingle.

Entre 3 et 12 jours plus tard

Une minuscule chenille sort de l'œuf et en dévore aussitôt la coquille.

Pendant 2 semaines

La chenille mange les feuilles de la plante où elle est née. Elle grossit très vite et **mue** cinq fois pendant les jours qui suivent.

mue :
lorsque la chenille mue, sa peau se déchire et tombe. Une peau toute neuve la remplace.

Arrivée à **maturité**

La chenille tisse un coussinet de soie sous une feuille. Elle s'y attache et se laisse pendre, la tête en bas. Sa transformation commence.

maturité :
lorsque la chenille atteint sa taille définitive, elle est arrivée à maturité.

Dans l'heure qui suit

La peau de la chenille fend et tombe. La chenille devient chrysalide. Celle-ci est décorée de petits points dorés. @

8 Dans l'heure
qui suit
Le monarque attend,
les ailes bien formées.
Dès qu'elles seront
sèches et dures,
il pourra s'envoler.

7 La transformation
est terminée
La peau de la chrysalide fend.
Le papillon en sort. Son corps
est gonflé. Ses ailes repliées
sont toutes froissées. @

6 Environ 2 semaines plus tard
À travers la peau de la chrysalide,
devenue transparente, on reconnaît
les ailes du monarque.

Le monarque pond ses œufs uniquement sous les feuilles de l'asclépiade.

Cette plante contient des **toxines** sans danger pour la chenille. Celle-ci en avale beaucoup. Plus tard, les toxines se retrouveront dans le corps et les ailes du papillon. La plupart des oiseaux n'oseront pas le manger à cause de son goût amer. @

> **toxines :**
> les toxines sont des poisons qui menacent la santé des êtres vivants.

La chenille respire par des orifices appelés stigmates.

Ces petits trous sont situés le long de son corps.

Pour se déplacer et manger, la chenille utilise huit paires de pattes.

Ses vraies pattes sont placées à l'avant. Elle en possède six. Chacune se termine par une griffe. Ce sont elles qui deviendront les pattes du papillon. À l'arrière, dix fausses pattes ressemblent à des ventouses.

La tête, le thorax et l'abdomen forment le corps du papillon.

Les ailes et les pattes sont rattachées au thorax.

aile antérieure

aile postérieure

la tête

l'abdomen

le thorax

Les yeux du papillon sont placés au sommet de sa tête.

Ils sont composés de facettes minuscules qui lui permettent de percevoir les formes et certaines couleurs. @

Sa trompe est un tube comparable à une paille.

Le papillon la déroule pour aspirer le **nectar** des fleurs.

nectar :
le nectar est un liquide sucré produit par les fleurs.

Des écailles recouvrent ses ailes.

Ces écailles sont fines comme de la poudre. Ce sont elles qui forment les motifs colorés et parfois étonnants des ailes des papillons. @

Le papillon reconnaît le parfum des fleurs avec ses pattes et ses antennes.

Elles lui servent aussi à goûter les fleurs. @

Papillons de jour ou de nuit ?

La plupart des papillons diurnes butinent les fleurs durant le jour pour se nourrir.

Quand ils se reposent, la plupart d'entre eux ferment leurs ailes en position verticale. @

> **diurnes :**
> les papillons diurnes sont ceux qui sont actifs le jour.

La forme de leurs antennes permet de les distinguer des papillons de nuit.

Chez les papillons de jour, elles se terminent par une boule, parfois très petite, en forme de massue.

La chrysalide du papillon diurne est nue.

Elle ne se développe pas dans un cocon de soie. @

Les papillons de jour sont généralement très colorés.

Ils se reconnaissent entre eux grâce à leurs couleurs vives et à leurs odeurs. @

La majorité des papillons nocturnes volent dès la tombée du jour.

Leur corps est souvent poilu. Au repos, ils gardent leurs ailes fermées le long de leur corps ou ouvertes de chaque côté. @

> **nocturnes :**
> les papillons nocturnes sont ceux qui sont actifs la nuit.

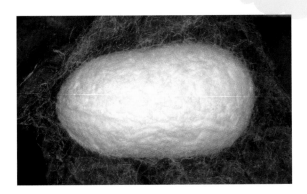

La chrysalide du papillon nocturne se développe à l'intérieur d'un cocon de soie.

Leurs antennes ressemblent souvent à de petites plumes.

Elles peuvent aussi être dentelées et très fines. @

Certains papillons nocturnes sont colorés, mais la plupart ont des couleurs sombres.

Ce camouflage leur permet de se reposer sans danger durant la journée. @

Merveilleux papillons d'ici et d'ailleurs

Le **Papillon lune** est l'un des plus beaux papillons nocturnes du Québec.

Sa couleur vert émeraude et sa grande taille permettent de le reconnaître facilement. @

L'**Amiral** est l'insecte **emblème** du Québec.

Une bande blanche traverse ses deux paires d'ailes. De petits points bleus et rouge orangé colorent la bordure de ses ailes postérieures. @

> **emblème :**
> un emblème est un symbole. En choisissant l'Amiral comme emblème, la population du Québec reconnaît que les insectes jouent un rôle important dans la nature.

Le **Papillon tigré du Canada** possède de grandes ailes jaunes, rayées de noir.

Chacune de ses ailes postérieures se termine par une petite queue. Des taches bleues, jaunes et orange les colorent. @

Le **Sphinx colibri** est présent dans certaines régions du Québec.

Le vol de ce petit papillon rappelle celui du colibri, qu'on appelle aussi oiseau-mouche. @

Le Monarque est l'emblème de l'Insectarium de Montréal.
À la fin de l'été, il effectue un voyage d'environ 4 000 km pour se rendre jusqu'au Mexique. Là-bas, il passe l'hiver dans les forêts de conifères qui poussent sur les montagnes. @

Au Mexique, comme dans les forêts du Pérou, on peut voir voltiger une des espèces de Morpho bleu.

Une légende raconte qu'un méchant lutin appelé Chullachaqui a pris sa forme pour attirer les promeneurs et les perdre dans la forêt. @

Le Machaon émeraude possède lui aussi des ailes très colorées.

On retrouve ce papillon dans plusieurs pays d'Asie du Sud-Est, dont la Malaisie. @

27

À force de grignoter, une chenille peut multiplier son poids par 3 000 !

Si un bébé mangeait autant qu'elle pendant deux semaines, il deviendrait aussi lourd que deux éléphants réunis !

Un petit point noir marque chacune des ailes postérieures du monarque mâle.

Lorsque vient le moment de s'accoupler, ces petits points dégagent une odeur particulière, qui charme la femelle. @

Les monarques ne s'accouplent qu'une seule fois.

Le mâle meurt peu de temps après. La femelle meurt aussi, après avoir pondu ses œufs. @

Le bout des ailes antérieures du papillon Cobra ressemble à une tête de serpent.

On croit que le papillon s'en sert pour surprendre ses ennemis. Pendant que ceux-ci hésitent à l'attaquer, il en profiterait pour s'échapper.

Les papillons aident les fleurs à se reproduire.

Quand un papillon se pose sur une fleur pour boire son nectar, le pollen de la fleur colle à son corps et à ses pattes. D'une fleur à l'autre, le papillon distribue le pollen. Les fleurs qui le reçoivent sont **fécondées**. @

fécondées :
quand les fleurs sont fécondées, elles produisent des fruits qui se développent et qui contiennent des graines.

Le Bombyx des mûriers tout comme l'abeille domestique sont les seuls insectes élevés par les humains.

Mais, avec les années, le Bombyx des mûriers a perdu la capacité de voler. @

On se sert de la soie pour fabriquer de magnifiques vêtements.

Le fil avec lequel la chenille du Bombyx fabrique son cocon est utilisé en Chine depuis 4 000 ans pour produire de la soie. @

1 Si tu étais un Monarque, laquelle de ces plantes choisirais-tu pour pondre tes œufs ?

2 Parmi ce groupe de Monarques, combien comptes-tu de papillons mâles ?

Réponses : 1 • B. L'asclépiade. 2 • 4.

3 Sers-toi de la carte géographique pour nommer des pays où on peut voir voltiger ces magnifiques papillons.

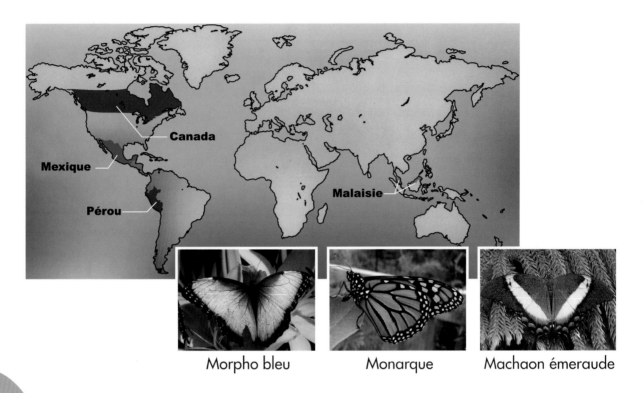

Morpho bleu   Monarque   Machaon émeraude

4 Un de ces papillons est l'insecte emblème du Québec. Lequel?

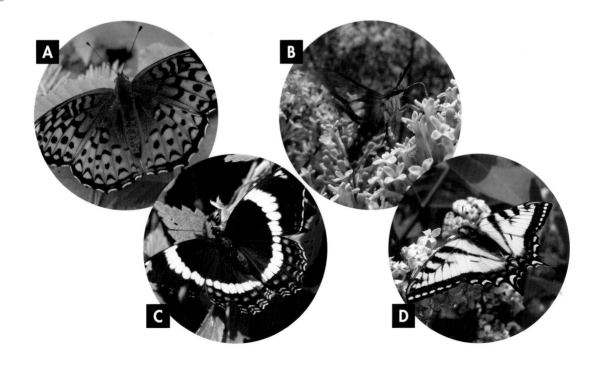

A

B

C

D

Réponses : 3 • Morpho bleu : Pérou et Mexique; Monarque : Canada et Mexique; Machaon émeraude : Malaisie.   4 • C. L'Amiral.

Réponds par VRAI ou FAUX aux affirmations suivantes.

(Sers-toi du numéro de page indiqué pour vérifier ta réponse.)

1 Les lépidoptères ont des ailes recouvertes d'écailles.
PAGE 2

2 La chenille du Monarque mue une seule fois avant de se transformer en chrysalide.
PAGE 20

3 Le Monarque pond ses œufs uniquement sous les feuilles de l'asclépiade.
PAGE 22

4 Le papillon reconnaît le parfum des fleurs avec ses pattes et ses antennes.
PAGE 23

5 Les antennes des papillons nocturnes se terminent par une boule en forme de massue.
PAGE 24

6 Le Monarque est l'emblème de l'Insectarium de Montréal.
PAGE 27

7 Les Monarques ne s'accouplent qu'une seule fois.
PAGE 28

Réponses : 1 VRAI 2 FAUX 3 VRAI 4 VRAI 5 FAUX 6 VRAI 7 VRAI

Catalogage avant publication de Bibliothèque et Archives Canada

Roberge, Sylvie, 1955 15 mars-

Les papillons

(Curieux de savoir : avec liens Internet)
Comprend un index.
Sommaire : L'arbre aux chenogres/texte de Nancy Montour ;
illustrations de Gabrielle Grimard
Pour enfants de 6 ans et plus.

ISBN 978-2-89512-639-3

1. Papillons-Ouvrages pour la jeunesse. 2. Papillons-Romans,
nouvelles, etc. pour la jeunesse. I. Grimard, Gabrielle,
1975- . II. Montour, Nancy. L'arbre aux chenogres. III. Titre.
IV. Collection : Curieux de savoir.

QL544.2.R62 2008   j595.78'9   C2007-941479-6

**Direction artistique, recherche et texte documentaire, liens
Internet :** Sylvie Roberge

Graphisme et mise en pages : Dominique Simard

**Illustration du conte, de la page 1 de couverture, dessins de la
table des matières et des pages 2,28, 29 :** Gabrielle Grimard

Dessins des pages 22,23, 30,31 : Guillaume Blanchet

Photographies :

© Insectarium de Montréal : pages 20 (1-2), 25 (cocon de soie),
26 (Papillon lune), 27 (haut), 29 (milieu)

© Sarah-Dominique Blanchet, page 1 de couverture

© Sylvie Roberge : pages 20 (3-4-5), 21,22, 23,24, 25, 26
(milieu, bas), 27 (milieu), 28,29 (haut), 30,31

© Jacques Simard : page 27 (bas)

Révision et correction : Corinne Kraschewski

Nous remercions le Conseil des Arts du Canada de l'aide
accordée à notre programme de publication.

Nous reconnaissons l'aide financière du gouvernement du
Canada par l'entremise du Programme d'aide au développement
de l'industrie de l'édition (PADIÉ) pour nos activités d'édition.

Nous reconnaissons l'aide financière du gouvernement du
Québec par l'entremise du Programme de crédit d'impôt pour
l'édition de livres – SODEC – et du Programme d'aide aux
entreprises du livre et de l'édition spécialisée.

© Les Éditions Héritage inc. 2008
Tous droits réservés
Dépôt légal : 1er trimestre 2008
Bibliothèque et Archives du Québec
Bibliothèque nationale du Canada

Dominique et compagnie
300, rue Arran, Saint-Lambert (Québec) J4R 1K5
Téléphone : 514 875-0327; Télécopieur : 450 672-5448
Courriel : dominiqueetcompagnie@editionsheritage.com

Imprimé en Chine
10 9 8 7 6 5 4 3 2 1

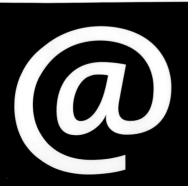

Curieux de savoir

AVEC LIENS INTERNET offre une foule d'informations
aux enfants curieux. Le signe @ t'invite à visiter la page
www.dominiqueetcompagnie.com/pedagogie
afin d'en savoir plus sur les sujets qui t'intéressent.